华夏万卷
让人人写好字

硬笔书法等级考试教程

田英章 书

云课堂
让练字更简单

上海交通大学出版社
SHANGHAI JIAO TONG UNIVERSITY PRESS

图书在版编目（CIP）数据

硬笔书法等级考试教程. 行书：云课堂 / 田英章书.
—上海：上海交通大学出版社，2018
（华夏万卷）
ISBN 978-7-313-19349-0

Ⅰ.①硬… Ⅱ.①田… Ⅲ.①行书-硬笔书法-水平
考试-教材 Ⅳ.①J292.12

中国版本图书馆 CIP 数据核字（2018）第 094899 号

硬笔书法等级考试教程·行书（云课堂）
YINGBI SHUFA DENGJI KAOSHI JIAOCHENG·XINGSHU(YUN KETANG)
田英章　书

出版发行：上海交通大学出版社　　地　址：上海市番禺路 951 号
邮政编码：200030　　电　话：021-64071208
印　刷：成都蜀望印务有限公司　　经　销：全国新华书店
开　本：880mm×1230mm　1/16　　印　张：10.5
字　数：84 千字
版　次：2018 年 6 月第 1 版　　印　次：2020 年 11 月第 5 次印刷
书　号：ISBN 978-7-313-19349-0/J
定　价：22.00 元

硬笔行书学习指南

什么是行书？

行书是继草书、楷书之后出现的一种书体，它在楷书的基础上加以变化，是介于草书和楷书之间的一种书体。它书写简便，不像草书那样难写难认，又不像楷书那样严谨端庄。行书有楷、草之长，笔画简练，书写便捷，笔势流畅，体态活跃，因而千百年来深受人们的喜爱，显示出它强大的生命力，是最实用的一种书体。行书较楷书而言，更加简洁率意，字的结构更加活泼灵动。行书是汉字书写最普及的一种书体，始创于东汉末年，成熟于魏晋时期，尔后，历朝历代相继延用，经久不衰。

行书与楷书有什么不同？

行书的学习重点是行笔的方法，即连带、减省、变化等。因为行书的行笔更加快捷、随意，写字时多带连笔，所以在基础训练的环节要多多描摹，体会其中的书写魅力。注意，行书不是楷书的快写，行书相对楷书来讲有四点不同：省笔、连笔、改变笔顺、代笔。

一、省笔

楷书书写时要严格体现文字的原形，就算结构繁杂，也不能随意简化。而行书的书写则不同，它可以根据情况对结构进行调整，有时甚至可以删繁就简地处理笔画。当然，这要在约定俗成的规则下进行，不可随意减省。

超——超　　流——流

二、连笔

楷书的线条方正规整，行书则活泼流畅。楷书向行书转化时，出于连笔需要，很多笔画自然地连在一起书写，这除了满足实用的需要，加快书写速度外，也显示出牵丝连带、笔断意连、彼此呼应的和谐、流畅、灵动之美。

浅——浅　　修——修

三、改变笔顺

初学者练行书最难的是什么？当然是笔顺！因为行书在楷书的笔画顺序上有一些变通，比如，“王”的笔顺，从“横—横—竖—横”变更为“横—竖—横—横”。

本书着重针对这个问题，将例字一个个地拆分了详细笔顺，再加上田英章老师的书写示范视频，让初学者也能一目了然，快速上手。（注：为了更好地展示笔画走势，我们将一笔连写而成的笔画，拆解成几个笔顺。因此，本书拆解的笔顺，不代表实际书写的笔画数量。）

四、代笔

由于行书的书写速度较快，它的笔画起止运行不会像楷书那样繁杂，而要删繁就简，甚至用点画来代替横、竖、撇、捺。笔画的转折处也没有那么复杂的顿、挫、驻等，有时用圆转代替了方折，这样就显得笔画流畅。

了解和掌握了这些书写特点，我们就能在学习中有的放矢，减少无谓的练习，使行书练习的效率大大提高。

评卷人	成绩

2018年江苏省书法水平等级证书考试

硬笔书法专用纸45

阳光从窗外射入，透过这里，吊兰那些指甲状的小叶，一半成了黑影，一半被照透，如同碧玉，斑斑驳驳，生意葱茏。小鸟的影子就在这中间隐约闪动，看不完整，有时连笼子也看不出。却见它们可爱的鲜红小嘴从绿叶中伸出来。

《珍珠鸟》

座位号	

监考老师贴条形码处

书写工具

古人云："工欲善其事，必先利其器。"我们在开始练字之前，了解和掌握各类笔、纸、墨的特点和性能是十分必要的。

一、笔

最常用的笔有：钢笔、签字笔和中性笔。签字笔携带方便，出墨均匀，使用广泛；钢笔的特性是笔尖较硬，弹性好，经久耐用，物美价廉，适合初学者；而中性笔手感舒适，笔尖柔软，书写流畅，也颇受人们喜爱。就中性笔来说，0.38mm 的笔尖过细了，1.0mm 的笔尖太粗了，0.5mm 或 0.7mm 的粗细比较适宜。

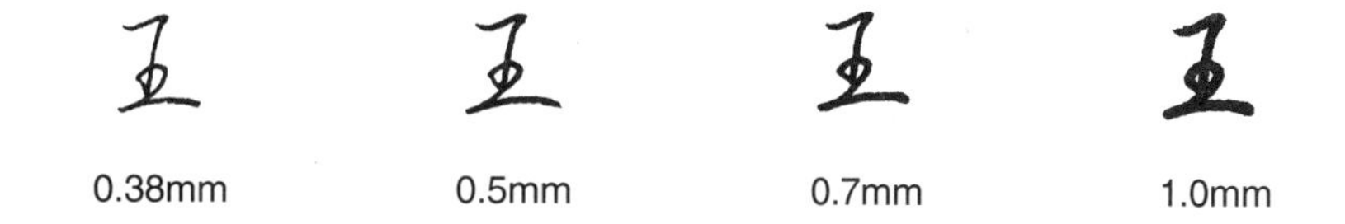

二、纸

硬笔书写对纸的要求没有很大讲究，一般来讲，60 克或 70 克书写纸较为合适，也最为常用。其性能特点是厚薄适中，纸质细腻，不会渗洇，吸墨性能好，书写时有一定阻力，手感良好，因而写出的字线条流畅。

三、墨水

墨水的品种很多，按其颜色分类，有黑墨水、蓝墨水、红墨水等。其中，纯蓝墨水是染料墨水，色淡易褪，不适宜书法练习；蓝黑墨水相对而言凝固性较好，较适宜于书法练习。黑墨水的凝固性很强，墨迹乌黑闪亮，光泽醒目，反差大，对比强烈，因此最受书法爱好者青睐。

练字方法

科学的练字方法能使练字事半功倍，反之则事倍功半。目前最有效的方法就是对照字帖进行临摹，学习范字的点画结构、运笔动作。但仍然有很多习字者练习效果不佳，其原因主要在于：

一、没有处理好临与摹的关系。初学者由于自由书写已成习惯，在字形大小、笔画粗细、间架结构、用笔动作等方面都与范字存在很大的差距，所以提倡先摹后临。

摹，就是用一张透明纸，盖在字模上摹写。摹，是为了培养习字者的规范意识，强化对范字的准确印象，即了解笔画的粗细变化、用笔的轻重不同、结构的规律等。临，是对照范字来书写，是对自身观察力、用笔技巧、结构运用的集中训练。

二、贪多求快。练字要想取得好效果，定量很重要，宁少勿多，少则得，多则惑。十字一遍不如一字十遍，由生到熟，先慢后快，熟能生巧。

三、三天打鱼、两天晒网。练字要有恒心，有毅力，不能靠一时的冲动和热情，不能一写就没完没了，而后又数天不动笔。这种一曝十寒、时断时续的方法是无法练好字的。练习者应坚持每天临摹，须知：一日练功一日功，一日不练十日空。

8 级水平：功力深厚，有浓厚的创作意识。

9 级水平：功力深厚，有比较成熟的风格，并擅长两种以上字体。

报考要求

中国美术学院书法等级考试对报考对象没有明确限制，主要看各位报考者的书写水平，报考者可对应各级考核标准中描述的水平来选择自己要报考的级别。

考试解析

初级（1—3 级）：主要针对的是刚入门的书法学习者，掌握了楷书的笔画、结构等基本要素。考试内容为**临摹自选字帖一种，字体为楷书**。考试时间为 60 分钟，纸张为 16 开。1、2 级用铅笔，字数不少于 50 字。3 级用铅笔或钢笔，字数不少于 80 字。

中级（4—6 级）：**从 4 级开始要求临摹古帖**。4 级自选小楷名帖一种临写；5 级自选古代经典名帖一种临摹，可选择史游、钟繇、王羲之、钟绍京、智永的作品或魏碑等；6 级临摹自选古代行书或隶书名帖一种（行书可选择王羲之、米芾、苏轼、黄庭坚等书法家的行书作品，隶书以汉代隶书名作为主）或楷书、隶书的模仿创作。考试时间为 90 分钟，纸张为 8 开。作品字数不少于 100 字。从 4 级开始，要求必须用钢笔。

高级（7—9 级）：**从 7 级开始要求创作作品**。要有比较深厚的功力和创作水平，7、8 级要求创作作品一件，9 级要求创作不同书体的作品各一件（不低于两件）。考试时间：7 级为 120 分钟，8 级 150 分钟，9 级 180 分钟，纸张均为 8 开或 8 开以上。每张作品字数不少于 120 字。

江苏省书法水平等级证书考试

级别设置

江苏省书法水平等级证书考试，是江苏省教育考试院与南京艺术学院共同开发的非学历证书考试项目。该考试有十个等级，分初级、中级、高级三个层次，1—3 级为初级，4—7 级为中级，8—10 级为高级。

报考要求

具体报考要求详见当年官网发布的公告。

考试解析

初级（1—3 级）：都是考**自选创作**，也就是内容不限，可带准备好的内容进去抄写。**字体要求是楷书**，考试时间为 1.5 小时。

中级（4—7 级）：都是考**命题创作**。**4、5 级字体要求为楷书**。**6、7 级的要求是楷书一件，其他书体一件**。考试时间为 1.5 小时。

高级（8—10 级）：都是考**自选临摹、命题创作**。这三个级别都要求一幅临摹古帖作品，一幅创作。考两种书体，**楷书一件，其他书体一件**，临摹、创作需为不同书体。8 级的考试时间为 1.5 小时；9、10 级的考试时间为 2.5 小时，因为 **9、10 级需要加考书法知识**。

注意：考场和考试用纸均为指定，自带纸张无效。考场一般为各公办学校，考试用纸现场发配，上面贴有考生对应的条形码。建议同学们平时多用指定考试用纸练习，以熟悉考卷形式。

所有级别的作品均不能写考生姓名（包括笔名、化名、字号），否则以作弊论处。自选内容要健康向上，临帖必须是古帖。建议 1—3 级用铅笔或钢笔，4—10 级用钢笔，或圆珠笔，或签字笔，或美工笔。钢笔、中性笔效果最佳。

欲参加等级考试的同学，请扫描右侧二维码，可以更详细地了解以上三种等级考试的考试大纲、考试标准、模拟题及答题卡等信息，助你顺利通过考试！

云课堂

扫码看书写示范

第一课 短横 长横 中横

短 横

粗细均匀

起笔稍轻，收笔略顿。行书与楷书的不同之处在于末端收笔时可有向左下勾出之意。

长 横

中部稍细

长横多为主笔，对整个字的美观和平衡很关键，要略有扛肩。

中 横

比长横略短

中横笔画稍粗、刚劲有力，起笔藏锋露锋视情况而定，切忌软弱无力。

一 二

二

上短下长

上横笔末回锋以启下横

顺锋起笔，右上行笔，笔末稍顿收锋

丨 丬 刂 非

非

左竖较短，右竖较长

左部末横上挑启右部

笔末收锋，整体连带自然

一 七

七

横画斜度略大，但重心平稳

竖弯钩弧度自然，笔末回锋

一 ナ 大

大

横画稍短

出头较长

捺画变点画

·举一反三·

上 上 上

工 工 工

十 十 十

其 其 其

天 天 天

无 无 无

各考试的级别设置、报考要求及考试解析

中国书画等级考试（CCPT）

级别设置

中国书画等级考试将硬笔书法划分为初、中、高三级，每级又分了三级，共分为1—9级：

初级（1—3级）：主要考核学习者硬笔书写的基本技能水平。通过对汉字中独体字、合体字的对临、书写训练把握楷书字体的基本结构，达到结构平正、匀称，比例适当的要求。

中级（4—6级）：主要考核学习者硬笔书写的实用技能水平。在楷书训练的基础上，通过临摹，从行楷书逐步过渡到行书的用笔和结构训练，掌握行书、楷书两种实用字体，达到笔画形态美观、结构合理、章法布局和谐、有节奏感。

高级（7—9级）：主要考核学习者硬笔书写的创作水平。通过对历代经典书法作品的临摹，着重训练汉字的结构及作品章法。要求掌握两种以上的字体，达到笔画精到、行笔自然、结构精妙、合于法度、章法和谐、布局巧妙的要求，同时掌握汉字、书法的基本常识和相关知识。

报考要求

考生根据报名要求及考试标准确定报考的级别。初次可任意选择级别报考，第二次只能根据第一次的考试结果进行申报。每次考试成绩优秀者可跨一级申报，合格者只能逐级申报，不合格者不能超过原报考级别申报。

考试解析

初级（1—3级）：**1—3级要求字体为楷书。**题目主要是命题对临硬笔楷书范字和命题书写独体字、合体字。1、2级每种书写20字以上，3级要求每种30字以上。考试时间：1—3级都是45分钟。1—2级用铅笔、蓝黑色或黑色钢笔、签字笔都可以。3级以上可用蓝黑色或黑色钢笔、签字笔。

中级（4—6级）：**4级要求字体为行书（行楷）。5、6级要求两种书体：行书（行楷）、楷书。**题目主要是命题对临和命题创作硬笔行楷作品。从6级开始，要求对临毛笔行书或楷书作品。每种都要求30字以上。考试时间：4级为60分钟，5、6级为90分钟。

高级（7—9级）：**7级要求字体为行、隶、楷（考试要求选择两种字体创作，其中一种须是行书）。8级考核的字体是楷、行、隶、草、篆（任选两种字体创作作品）。**9级和8级考的字体一样，但要求任选三种字体创作作品。每种都要求40字以上。考试时间：7、8、9级均为150分钟。

注意：7、8、9级还要考理论知识，包括书法基本知识、文字学基本知识等。

中国美术学院书法等级考试

级别设置

与CCPT一样，中国美术学院的书法等级考试也是将硬笔书法划分为初、中、高三级，每个层级里又分了三级，总共分为1—9级（9级为最高级别）：

1级水平：多为刚学习写字而尚未掌握基本点画、偏旁和结体，未临摹过字帖或临摹过字帖而未入门的。

2级水平：多为初学习写字而即将入门的，对字帖的临摹也下过一些功夫。

3级水平：多为刚入门的，临摹字帖已比较形似。

4级水平：多为有两年学书之功，临帖已达形似阶段，对古代优秀字帖有一定的学习。

5级水平：已有一定功力，临摹水平较高。

6级水平：较有功底。点画、结体、章法上呈和谐有序状态。

7级水平：有较深功力和创作水平。

第二课 垂露竖 悬针竖 短竖

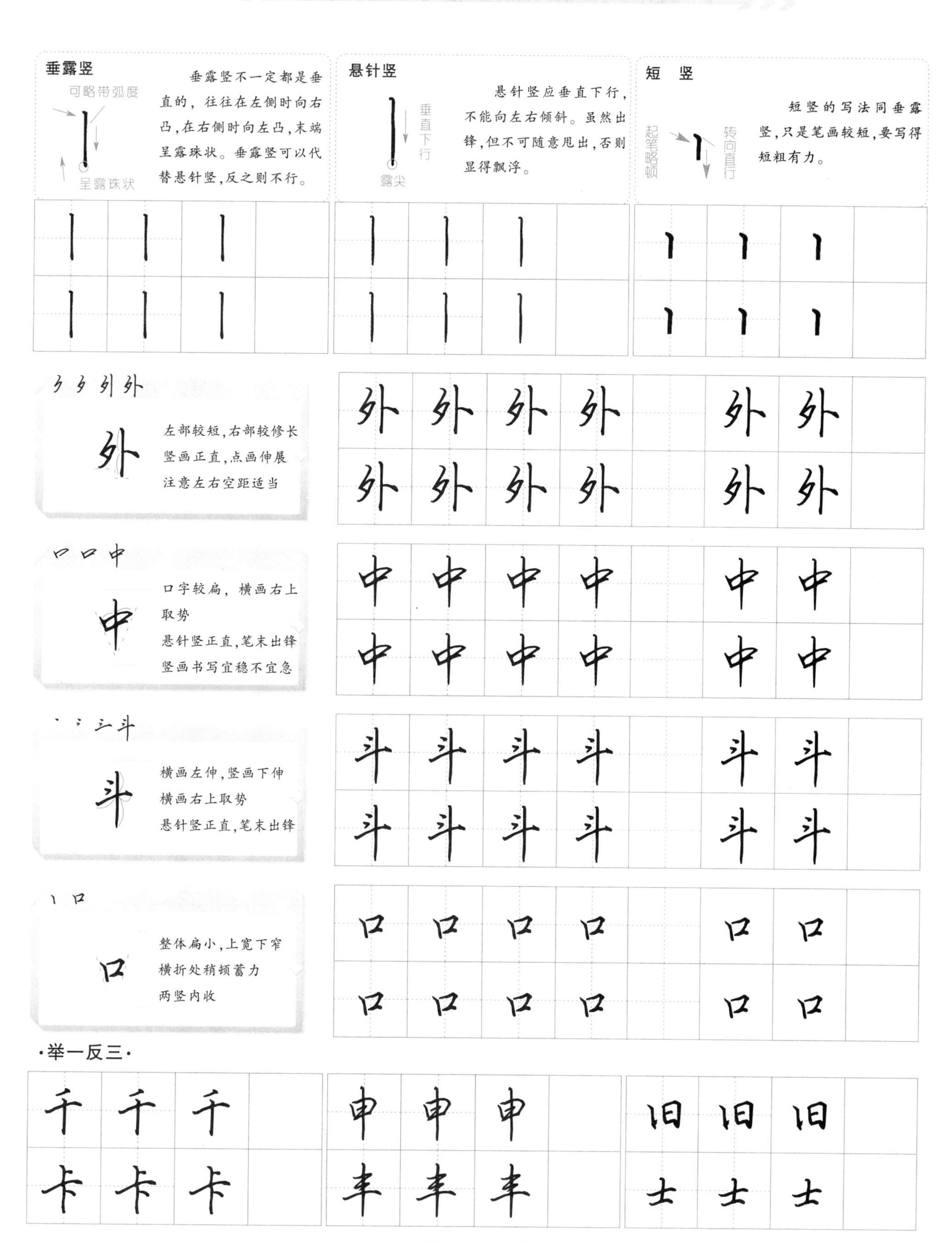

国内主要的硬笔书法等级考试

书法考级是在规范的操作程序下，通过统一的评判标准，对参加考级人员的书法艺术水平进行评比和认定的一种测试方式。

目前国内影响比较大的书法等级考试主要有以下几个：一是由教育部考试中心主办的“中国书画等级考试”(CCPT)，是国内比较权威的硬笔书法等级考试。二是中国美术学院组织的社会美术水平等级考试，报考的人数也不少。此外，江苏省教育考试院与南京艺术学院主办的“江苏省书法水平等级证书考试”在江苏省省内比较有影响力。

考试名称	主办机构	考试时间	硬笔考试所分级别	权威性	过级难度	报名网址
中国书画等级考试(CCPT)	教育部考试中心	全年开考两次，分别在5月和11月。具体考试时间见官网的年度开考计划。	1—9级	★★★★★	较难	http://ccpt.neea.edu.cn/
中国美术学院社会美术水平等级考试	中国美术学院社会美术水平考级中心	各考点时间不同，具体考试时间见官网发布。	1—9级	★★★★★	较易	http://139.129.220.45
江苏省书法水平等级证书考试	江苏省教育考试院与南京艺术学院	全年开考两次，上半年5月一次，下半年11月一次。	1—10级	★★★★★	较易	http://221.226.99.8:81

注：具体的考试流程、报名费用、考点、开考时间等每年均有变化，请报考者以当年各考试中心官网发布的报名信息为准。

第三课 短撇 长撇 竖撇

短撇

角度宜平

短撇不好写，难在直中有弯。它多位于字头，短小有力且角度较平，要注意长短粗细和笔画的走向，出锋锐利。

长撇

舒展大方　先顿后撇

长撇多位于字的左部，书写时要舒展大方，略带弧度，也可回锋附钩连带下笔。

竖撇

上部竖直　弯曲出尖

竖撇多位于字的左部或中部，上中部形同竖画，下部弯曲出尖。

丘

起笔稍顿，左下撇出
撇与左竖形成虚连
末横宜稳，笔末回锋

乎

起笔稍顿，撇出
两点呼应，意连下笔
交点位于竖中线
竖钩稍带弧度

左

上横连长撇，横画较短，撇画伸展
工字连写，注意空间

皮

左下入笔，笔末上提
出锋连横
横钩较短，出锋连竖
撇画连捺，反捺伸展

·举一反三·

斥 老 丹
匀 省 史

第四十三课　行书章法

要开始进行硬笔书法作品创作，就不能不了解章法。

章法是书法的重要组成部分，所谓章法，就是对整幅作品的整体安排与设计。具体而言，就是对主文、落款、印章的布置和处理方法。

书法作品的创作或临写，首先应确定样式，前面我们已经介绍过硬笔书法主要的书写样式。除了中堂、扇面、横幅、条幅，还有条屏、对联等。对联又称楹联，书写内容对偶工整，右联为上联，左联为下联，书写体势、风格要统一。

一幅完整的书法作品由正文、落款和钤印三部分组成，缺一不可，它们也是章法的三要素。正文就是书法作品书写的主体部分；落款就是书法作品内容的出处和书写时间及书者姓名；钤印就是在书写者姓名后钤上名号印，以示负责。

创作硬笔书法作品应注意以下事项：

1. 顺序从右至左。书法作品创作时要按从上到下、从右到左的传统习惯排列，无论是横式、竖式或不规则幅式，都必须遵从这个原则。起首不空格，文句停顿不写标点符号，以保持作品的连贯气势。

2. 字形大小适宜。一般字形大小要相对均匀，不可差别过大。行、草书的字，大小要有变化，差别大些也可以，这样能增添作品活力。从整体看，前后字形大小应基本相称，避免越写越大或越写越小的不良布局。

3. 纵横间距得当。楷书的字距应等于或小于行距；隶书的字距应大于行距；行、草、篆书的字距都应该小于行距。作品四周都应留边，横式留边左右应宽于上下，竖式留边上下应宽于左右。下笔前应提前筹划，避免作品正文最后一行只留一个字，或下面满字封底的情况发生。

4. 书写对准中线。无论哪种书体，每一行字都应该有条中心线，中心线实际就是一行字的“气脉”。在书写中应估算把握，避免脱离中心线的字出现。

5. 文字繁、简统一。书法作品要求风格统一，要么全繁，要么全简，绝不能在同一作品中出现繁体字和简化字随意混用的现象。

6. 变化字形随机应用。一幅作品中，相同的字要有变化，要各有形态，避免雷同。遇到字的主要笔画连续相同时，要变化形态。遇到因字形的大小、宽窄使笔画难以上下、左右伸展的情况时，应改变字的笔画，因势利导，顺势穿插避让。

画阁镜中看幻作神仙福地
岁次丙戌立冬前三日

飞泉云外听写成山水清音
田英章学字于北京

云课堂
扫码看书写示范

第四课 正捺 平捺 反捺

作品五 《新雷》《偶见》

条幅

条幅又称竖幅，从右向左竖写。

不管怎么布局，都要求上面的“天头”务必整齐，不能高高低低，显得无序。下面的“地脚”通常也要整齐，但如果是行书、草书，略有不齐也是可以的。

造物无言却有情每于寒尽觉春
生千红万紫安排着只待新雷第
一声 清张维屏诗田英章书

柳絮风吹上树枝桃花风送落清
池升沉好像春风定及问春风〻
不知 清人袁枚诗英章书

云课堂

扫码看书写示范

第五课 左点 右点 上挑点

左 点

回锋萦带

轻入笔，然后顿笔处加重，向右上方提锋。多放在字的左边，与右点相呼应。

右 点

轻入笔

启带下笔

收笔可回锋

注意其角度和位置，它决定着字的重心。可出锋与其他笔画相呼应，也可不出锋。

上挑点

左下顿笔

牵丝连带下笔

由轻到重左下斜向落笔，笔尖略顿后向右上提出。有牵丝连带下笔之意。

小

两点距竖基本相等
竖钩较短，虚连左点
左点回锋启右点
右点稍高

之

轻入笔，笔末稍顿
横撇相连
平捺一波三折，捺脚稍顿出锋

以

点画意连
人字简化，笔末自然出锋

半

左点上挑连右点
横画宜稳
悬针竖宜正直

·举一反三·

立 亦 六 产 前 忙

云课堂

扫码看书写示范

第四十二课 牵丝粘连 笔画增减

牵丝粘连

牵丝粘连在行书中用得最多。笔画是筋骨，牵丝为血脉。整体要求笔断意连，形断而意不断。

笔画增减

流→流

古人为了美观对一些字进行了笔画的增减，但现在不可乱造字，尤其是广大中小学生。如果作为书法创作，可加以了解。

遂

横画宜短
撇捺均收敛
捺画一波三折

舞

横画平行
长横扛肩盖下
注意虚连实连

武

横画平行，首横略短
主笔斜钩伸展
注意简写

流

三点呈弧形
注意简写
下部齐平

德

上撇较短，下撇较长
右边中部紧凑
三点与卧钩呈弧形

登山临水送将归。悲莫悲兮生别离。不用登临怨落晖。昔人非。惟有年年秋雁飞。

第六课 横钩 竖钩 斜钩

横钩

折角圆润自然

出钩果断 启带下笔

横钩要写得坚实有力，钩身宜小，整个过程行笔流畅。

竖钩

垂直下行

钩短有力

竖钩的出钩随意多变，除可向左上方钩出外，还可向左下方出锋。在行书中有些竖钩可以减省书写为竖。

斜钩

注意弧度适中

直中有弯

伸展有力

斜钩一般作为一个字的主笔出现，要大胆拉长，最忌写短，钩身要有力度，注意弧度不能太大。

它

首点居中

宝盖盖下，横钩略长

末笔回锋

寸

一寸寸

横画右上取势

竖画挺直，出钩爽利

点末回锋

可

长横回锋连口

口字留空，笔末上挑连竖钩

竖画挺直，出钩爽利

成

左下入笔，上提出锋

横连横折钩

斜钩伸展

中宫紧收，末点回锋

·举一反三·

买 宝 才 于 我 式

第四十一课 围而不堵 斜抱穿插

围而不堵

圄

围而不堵、守而不困是书写全包围结构的字的常用方法。即书写全包围结构的字时，外框不宜堵塞得过于严紧，要稍微留出一点空隙。

斜抱穿插

妙

指两部分组合，特别是左右相向的字最忌远离分散，应该双肩合抱，互带穿插，使字紧凑而精神。

丨 门 园 圄 圄

圄

三横平行
竖将横等分
上下留空

圄	圄	圄	圄		圄	圄	
圄	圄	圄	圄		圄	圄	

丨 门 冂 用 闭 团

团

竖长横短
中竖平分横画
外框不封口

团	团	团	团		团	团	
团	团	团	团		团	团	

丶 丬 妙 妙

妙

左右呼应
互有穿插
撇画舒展

妙	妙	妙	妙		妙	妙	
妙	妙	妙	妙		妙	妙	

𠂇 方 友

友

横画宜短
撇画斜直
捺比撇长

友	友	友	友		友	友	
友	友	友	友		友	友	

一 车 车 软 软 软

软

提画启右
车部右齐
末笔下压

软	软	软	软		软	软	
软	软	软	软		软	软	

昨夜西风凋碧树，独上高楼，望尽天涯路。

欲寄彩笺兼尺素，山长水阔知何处！

云课堂
扫码看书写示范

第七课 提 竖提 横折提

提
先顿后提
挑出身锋有迅力速
提起笔向下略顿，即向右上有力提出，注意提锋的指向与后边笔画的呼应关系。
竖 提
注意提锋走向
在行书中，竖提的提锋多和下一笔相连，以示连贯。提笔部分是轻笔，应一笔带过。
横折提
夹角要小
提锋启右
横短右上斜，折笔方棱，提画有力。整体形不宜宽。
提
左收右放
注意笔顺与空间
竖钩与提画连写
民
上窄下宽
三横间距相同
斜钩伸展，向上出锋
切
两笔写成，注意连带
横画右上取势，两横平行
注意提锋走向
设
左长右短
提画与右部连写
撇与反捺形成虚连
·举一反三·
冯 冯 冯
沉 沉 沉
衣 衣 衣
地 地 地
语 语 语
说 说 说

第四十课　联撇参差　三部呼应　钩趯匕刃

联撇参差

凡是多撇的字，撇与撇的间距基本相等，但撇尖角度、指向不一，长短变化，鳞羽参差，显得错落有致。

三部呼应

智

凡是由三个部分组成的字，都应该主次分明，避就相迎，切忌互不相让，彼此争位。

钩趯匕刃

水

钩身不宜长，犹如匕刃，出钩要短促而坚挺。字中有两个以上的钩时，主要钩画夸张舒展，次要钩画适当收敛。

丿 乌 多 多 多 象

众撇指向不一，长短不一
整体瘦长
交点位于中线

象 象 象 象　象 象
象 象 象 象　象 象

厂 万 反

撇画参差，错落有致
首撇短平
横撇内收

反 反 反 反　反 反
反 反 反 反　反 反

𠂉 矢 知 智 智

左上部横画左伸
口部内收
日部瘦长

智 智 智 智　智 智
智 智 智 智　智 智

丶 氵 㳻 溺 溺

溺

三点呈弧形
横画斜向平行
笔画紧凑

溺 溺 溺 溺　溺 溺
溺 溺 溺 溺　溺 溺

亅 才 水

水

钩身宜短促而坚挺
撇比捺短
撇捺交于竖钩中部

水 水 水 水　水 水
水 水 水 水　水 水

人生得意须尽欢，莫使金樽空对月。

天生我材必有用，千金散尽还复来。

云课堂
扫码看书写示范

第八课 横折 竖折 撇折

横 折
横折向右行笔，略扛肩。在行书中，转折处可轻顿向下行笔，也可自然圆转而出。
内顿
转折自然
竖 折
竖折书写时转折处轻顿，当竖长折短时，竖要垂直；当竖短折长时，竖要内斜。
折笔轻顿
撇 折
撇与提的衔接处要自然，两者夹角角度要适中。
由重到轻
提笔启右
上宽下窄，下不封口
横画等距，短横不连左右
整体宜扁
左竖较低，右竖较高
中竖宜正直
注意空间
首横较短
末横较长
内部饱满
撇折、点、月连写，一笔写成
右边可连写
注意行笔路径
·举一反三·

第三十九课　中宫收紧　收缩纵展　大小独具

中宫收紧

商 收紧

中宫，指的是核心，中宫收紧而其他笔画向外开展，以字心为核心，内聚外散。

收缩纵展

色

收缩为其纵展，纵展反为收缩。一个字，既要有收缩的地方，也要有伸展的地方，整体才比较协调。

大小独具

么 豫

字有大小，大的字不可写小了，小的字不可写大了，自然天成，各臻其妙。

商：首点高扬　横画左伸　字中紧凑

刻：内聚外散　三撇平行　竖画左短右长

色：首撇高扬　中部扁平　竖弯钩伸展，托住上部

么：笔画少则字小　注意牵丝　点画下压

豫：左窄右宽　横钩左伸　连撇参差

醉别江楼橘柚香，江风引雨入舟凉。
忆君遥在潇湘月，愁听清猿梦里长。

作品一 《定风波》

在硬笔书法中，最常见的章法布局有横写法和竖写法。

竖写法是传统书写方法，也是在硬笔书法艺术创作中最常使用的一种书写形式。竖写法的章法要求是：字序从上而下，行序从右至左，气韵上下贯通，犹如高山坠瀑，一泻千里。

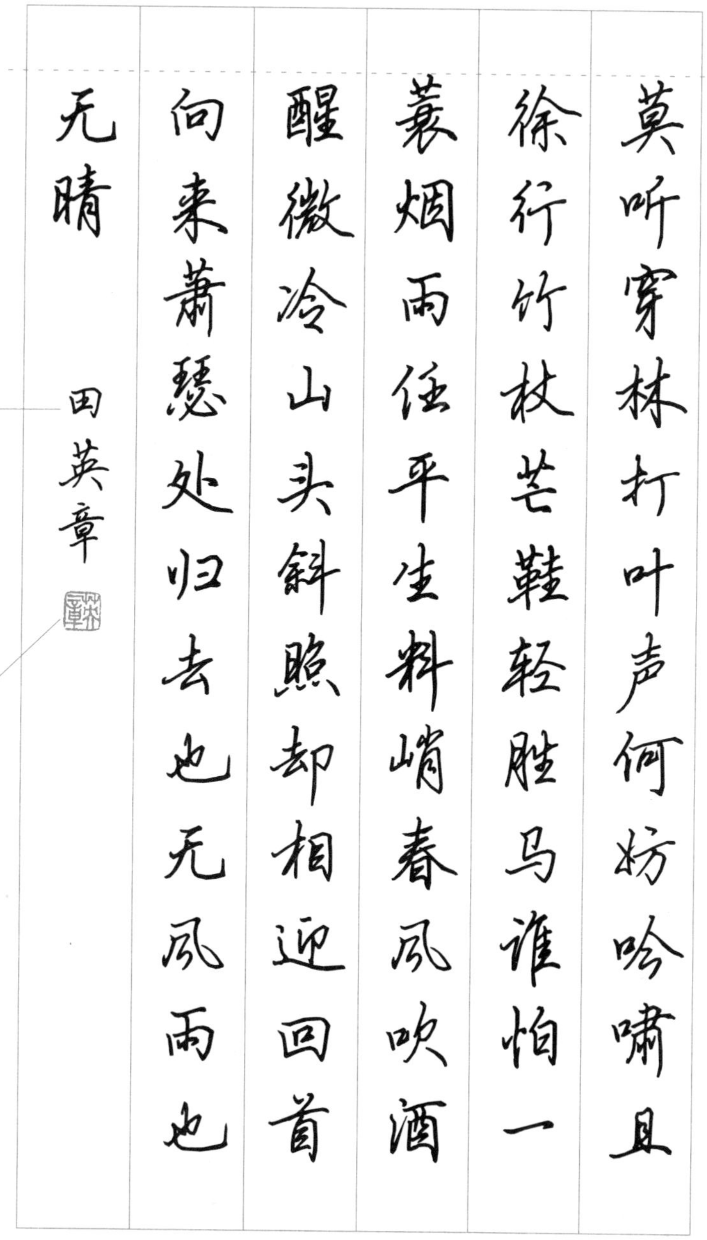

齐头，上下留白

莫听穿林打叶声何妨吟啸且
徐行竹杖芒鞋轻胜马谁怕一
蓑烟雨任平生料峭春风吹酒
醒微冷山头斜照却相迎回首
向来萧瑟处归去也无风雨也
无晴

田英章

题款的字位置一般都要低于正文，且比正文的字要小一些。

刻有作者名字的名章一般盖在作者的名字之下。印章大小一般不超过题款字的大小。

第三十八课 对等平分 左右对称 主笔脊柱

对等平分

期

左右两部分大小接近、高低对等、宽窄平分，不要失之偏颇。虽然两部分也有呼应，但却各占一方。

左右对称

秋

凡左撇右捺的字，均需左右对称。在写撇之前要想好捺的位置，捺笔的轻重根据撇笔的长短来定。

主笔脊柱

申

字中有一笔是主笔，其他的笔画为辅笔，主笔担当字的脊梁，其他笔画附其血肉。

一 十 廿 甘 甘 其 其 斯 期

期

左右均等，不失偏颇
横画竖画平行
竖钩与横画连写

期	期	期	期		期	期	
期	期	期	期		期	期	

口 巾 巾 帖

帖

竖画平行
竖画正直
口部内收

帖	帖	帖	帖		帖	帖	
帖	帖	帖	帖		帖	帖	

丿 二 千 禾 秒 秒 秋

秋

左部横画左伸
“火”左点低右点高
撇捺舒展

秋	秋	秋	秋		秋	秋	
秋	秋	秋	秋		秋	秋	

丨 旦

旦

两竖内收
末横为主笔，舒展托上
中间两横可与末横连写

旦	旦	旦	旦		旦	旦	
旦	旦	旦	旦		旦	旦	

丨 冂 曰 申

申

左右对称
两短竖内收
长竖向下伸展

申	申	申	申		申	申	
申	申	申	申		申	申	

清风明月苦相思，荡子从戎十载馀。

征人去日殷勤嘱，归雁来时数附书。

第九课 横折弯钩 横折斜钩 竖弯钩

横折弯钩

横画扛肩　折角宜小　直上出钩

横折弯钩不易写，难在要既圆润，又不失遒劲，角度是关键，钩画要垂直向上出锋。

横折斜钩

斜钩的弧度比横折弯钩小

转折的角度和弧度是笔画的关键。左上提钩，注意与横折弯钩的区别，斜钩不要写得过弯。

竖弯钩

竖向下行　圆转向右　向上出钩

竖笔下行应稍细，拐弯自然，尾部向上挑出，勿长，出锋干净利落。

乙	乙	乙		⺄	⺄	⺄		乚	乚	乚	
乙	乙	乙		⺄	⺄	⺄		乚	乚	乚	

丿 九

先写撇画
撇画不出锋
转折的地方要圆润，
向上出钩

九	九	九	九		九	九	
九	九	九	九		九	九	

丿 几 凡

注意竖撇的写法
转折的地方要圆润
点画居中收紧

凡	凡	凡	凡		凡	凡	
凡	凡	凡	凡		凡	凡	

⺄ 飞

起笔轻顿，略上斜
弧度适中，斜而不倒
两点连写

飞	飞	飞	飞		飞	飞	
飞	飞	飞	飞		飞	飞	

丿 𠂇 毛

横笔等距，右上取势
末横上挑连竖弯钩
弯钩伸展，向上挑出

毛	毛	毛	毛		毛	毛	
毛	毛	毛	毛		毛	毛	

·举一反三·

乞	乞	乞		气	气	气		兄	兄	兄	
吃	吃	吃		虱	虱	虱		礼	礼	礼	

第三十七课 下方迎就 左收右放 左斜右正

下方迎就

凡上部有撇捺等开张舒展笔画的字，下部一般都要上移迎就，以使字显得紧凑。

左收右放

左边收敛，右边舒展。如果左部该收敛却舒展，造成与右部争位，主次不分，整个字会显得过宽，很不协调。

左斜右正

左右结构的字，以左斜右正的居多。左斜部分与右正部分相呼应，左部灵动，右部稳健，避免行书连笔而使重心不稳，力求整个字的协调统一。

丿 人 今 令

令：撇捺舒展盖下；下部上移迎就；交点位于中线

丷 丷 ⺷ 关 券 券

券：两横平行；撇捺盖下；刀部略小

一 十 古 古 故 故

故：左边收敛；右边舒展；左右之间穿插避让

口 口 吸 吸

吸：口部宜小且内收；末笔为捺，撇捺舒展；左小右大

丶 女 好 好

好：左部斜而有度；右部正而不僵；横将右部上下平分

君问归期未有期，巴山夜雨涨秋池。
何当共剪西窗烛，却话巴山夜雨时。

云课堂
扫码看书写示范

第十课 横折折撇 横折折折钩 竖折折钩

横折折撇

撇中有弯，舒展

行笔流畅，忌生硬

横折折撇中转折的角度是这一组合笔画的关键，转折处上方下圆润，末笔不要写得过弯。

横折折折钩

左上出钩

横折折折钩的横画要左伸带斜势，上紧下松，上短下长，重心平稳。

竖折折钩

折角圆润

竖折折钩就是竖折与竖钩的结合，需处理好每一处转折，转折要自然不僵硬。

丿 乃 及

及

撇画宜直，末笔回锋
横折爽利，折撇圆润
捺画伸展

丿 乃

乃

撇画宜直，笔末出锋
横折折折钩行笔流畅
出钩宜小

丨 冂 曰 申 畅

畅

左高右低
横画平行，右上取势
注意空间位置

一 与 与

与

上横要短
折角圆润
长横不与竖相接

·举一反三·

级 吸 杨 秀 马 夷

云课堂

扫码看书写示范

第三十六课　上展下收　上正下斜　上斜下正

上展下收

香

"上展"指的是上部飘逸洒脱，以显示字的精神；"下收"指的是下部凝重稳健，以显示字的端庄。

上正下斜

梦

"上正"指上部要写得端正，因此竖笔必须垂直；"下斜"指下部取斜势。这样写出来的字才会正而不僵，富于变化。

上斜下正

炙

上部虽斜，但重心不倒，以斜势呼应下部。下部虽正，但要随上方大小来决定收展，以上下呼应。

丿 禾 禾 禾 香 香

香　撇捺伸展，撇低捺高　交点位于中线　日部瘦长，不封口

香	香	香	香		香	香	
香	香	香	香		香	香	

丶 亠 亣 亦 亦 弯

弯　首点居中，上宽下窄　两点相对，横长盖下　弓部略扁

弯	弯	弯	弯		弯	弯	
弯	弯	弯	弯		弯	弯	

一 十 才 木 村 林 林 梦 梦

梦　上部端正，竖笔垂直　下部取斜势，重心要平稳

梦	梦	梦	梦		梦	梦	
梦	梦	梦	梦		梦	梦	

歹 歹

歹　整体瘦长　两撇平行　末撇伸展

歹	歹	歹	歹		歹	歹	
歹	歹	歹	歹		歹	歹	

ク タ 夕 夕 多 炙

炙　斜而有度，重心平稳　上斜下正，上小下大　撇捺伸展

炙	炙	炙	炙		炙	炙	
炙	炙	炙	炙		炙	炙	

昨夜星辰昨夜风，画楼西畔桂堂东。

身无彩凤双飞翼，心有灵犀一点通。

云课堂
扫码看书写示范

第十一课 点的连写

横连点
两点连写
尖锋轻落起笔，顺势向右右启，行笔略弯，回锋蓄势，向右下出锋，意连下笔。
纵连点
上下连写
末点回笔
上点收笔出锋呼应下点，两点中间无论有无笔画间隔，都宜相向且彼此呼应。
相向点
末笔启下
牵丝较细，可断可连
左为斜点，右为撇点。撇点起笔要高于斜点。
心
左点从轻到重
卧钩右下方倾斜
后两点连写，形成牵丝
念
撇画宜直，笔末回锋，
撇捺伸展盖下
点连横撇
卧钩平卧，后两点相连
冬
撇捺形成的空间稍小
两点可连写
上下重心对正
半
两点位置相对，略有起伏
两横平行取斜势
竖画位于中轴线上
·举一反三·
兴 兴 兴
尽 尽 尽
火 火 火
点 点 点
寒 寒 寒
悦 悦 悦

第三十五课 横笔等距 底竖斜位 上收下展

横笔等距

王

字中有两个以上横笔，且横笔间无点、撇、捺等笔画时，其间距要基本相等，排布均匀。

底竖斜位

于

凡竖在下方的字，竖画不是全部都居中，或偏左，或偏右，偏右者多，偏左者少。

上收下展

皇

"上收"：上面部分收紧，以留出位置避让下方；"下展"：下面部分舒展大方，以托住上部。

一 王

王：三横等距；中横最短；竖画居于中线

王 王 王 王 王 王

王 王 王 王 王 王

一 手 秆 秤

秤：横画上斜；左高右低；撇短竖长

秤 秤 秤 秤 秤 秤

秤 秤 秤 秤 秤 秤

一 二 于

于：两横斜行靠上；长横左长右短；竖钩挺直有力，位置偏右

于 于 于 于 于 于

于 于 于 于 于 于

丿 亻 㐅 白 身 泉

泉：上部内收，紧凑；下部舒展，托住上部；竖钩要长，捺画舒展

泉 泉 泉 泉 泉 泉

泉 泉 泉 泉 泉 泉

亻 白 皇

皇：白部内收，紧凑；六个横画等距；末横最长，托住上部

皇 皇 皇 皇 皇 皇

皇 皇 皇 皇 皇 皇

杨柳青青江水平，闻郎江上唱歌声。

东边日出西边雨，道是无晴还有晴。

云课堂
扫码看书写示范

第十二课 横的连写

两连横
书写两连横时，笔画间多有丝连回锋，但不可写得太粗或太重，一定不能喧宾夺主。
可虚连，可实连
三连横
要重点掌握横与横连写过程中翻笔和圆转的运用。三横等距，中横最短。
牵丝勿重
横连撇
先快写斜短横，顺势逆向翻笔圆转，迅疾连出撇画。
斜短横
斜撇长直
注意起收笔位置
横画不宜太长
撇捺舒展
横笔等距，中横最短
悬针竖居中
笔画之间笔断意连
横连撇画，横画较短
撇画略展
注意空间
两横笔断意连
竖弯钩竖短弯长
底部齐平，转折自然
·举一反三·

第三十四课 中直对正 中直偏右 竖笔等距

中直对正

素

竖画是字的脊梁，竖不直则字不正。一字之中，如果上下两部分中间都有竖画，那么两竖应该直对。

中直偏右

年

中直偏右的意思是，凡有中直笔画的字，竖画都应该垂直劲挺，但稍偏右，以免显得呆板。

竖笔等距

而

字中有两个以上的竖笔，而且竖笔之间无点、撇、捺等笔画时，间距要基本相等。

常

上下两竖对正
字头紧凑，横钩盖下
长竖伸展

常	常	常	常		常	常	
常	常	常	常		常	常	

素

三横等距，紧凑
中横最短，末横最长
上下两竖对正

素	素	素	素		素	素	
素	素	素	素		素	素	

予

两笔写成
竖稍具弧度
竖钩笔末自然抹出

予	予	予	予		予	予	
予	予	予	予		予	予	

一 丅 下

下

横稍比竖长，左低右高
竖画在中心线偏右处
整体呈倒三角形

下	下	下	下		下	下	
下	下	下	下		下	下	

而

首横末收锋连撇
竖画等距
左右两竖内收

而	而	而	而		而	而	
而	而	而	而		而	而	

问余何意栖碧山，笑而不答心自闲。

桃花流水窅然去，别有天地非人间。

第十三课 竖的连写 竖钩连写

两连竖

左竖短，有时以点代替；右竖长，一般为悬针竖

重点掌握连写过程中的牵丝连带。左边的竖稍短，有时以点代替；右边的竖稍长，一般为悬针竖。

三连竖

左两竖可用点代替；悬针竖

左两竖可用点代替，右边一竖一般为悬针竖。

竖钩连写

竖钩与点连写

多用于竖钩与点等笔画相连写时，连带时宜取捷径，呈三角形。

乔：两竖连写，右为悬针竖；注意牵丝连带；斜而不倒，重心平稳

则：左短右长；注意牵丝连带；悬针竖略往右凸

川：竖笔等距；整体呈放射状；牵丝要细

讨：短撇角度宜平；横画扛肩，左伸；竖钩伸展

·举一反三·

侨 钏 导

弄 愈 特

第三十三课 首点居正 通变顾盼 点竖直对

首点居正

主

首点居字顶部时，作为第一笔书写，收笔可连带下一笔，也可不连，位居中心线上，有画龙点睛之妙。

通变顾盼

沙

字之中有多点时，应顾盼揖让和呼应，使字形增加生动活泼的意趣。若缺少呼应，整个字就会显得呆板。

点竖直对

市

若一字之中，上有点画、下有竖画时，应点竖直对，即两个笔画的重心垂直相对。

丶 亠 主

主

首点居中心线上
首横要长，右上取势
三横等距

主	主	主	主		主	主	
主	主	主	主		主	主	

丶 亠 亣 方

方

首点高扬，横画扛肩
注意笔顺
点钩直对

方	方	方	方		方	方	
方	方	方	方		方	方	

丶 氵 沙 沙

沙

三点水呈弧形排列
右部点左低右高
撇画斜长，略带弧度

沙	沙	沙	沙		沙	沙	
沙	沙	沙	沙		沙	沙	

丶 氵 氵 泣 泣

泣

首点高扬
三点水呈弧形排列
末横略长

泣	泣	泣	泣		泣	泣	
泣	泣	泣	泣		泣	泣	

丶 宀 市

市

点画高昂，平分横画
点与竖居中心线
悬针竖往下伸展

市	市	市	市		市	市	
市	市	市	市		市	市	

万种思量，多方开解，只恁寂寞厌厌地。系我一生心，负你千行泪。

云课堂
扫码看书写示范

第十四课 撇的连写

两连撇
短
长，微带回锋
连接处转折自然
重点掌握连写过程中的连带和转笔。两撇连写，上短下长，两撇连接处转折自然。
三连撇
三撇连写
尾撇舒展
三撇连写，上紧下松，尾撇舒展。
正线结
撇短捺长
先撇后捺，一笔写成。撇尾向左，反捺收笔，常用于撇捺连写。
上撇较短，下撇较长
左窄右宽
横画等距，中横最短
左短右长
左部末横变提画
三撇平行，末撇舒展
牵丝要轻，不能刻意
三撇连写
撇笔等距，末撇舒展
三横等距
横画左伸，取斜势
撇捺连写，反捺收笔
·举一反三·

作品四 《雨霖铃》

横幅

尺横呈横向，横长竖短，一般从右往左书写。

竖式书法作品中一般不加标点符号

寒蝉凄切对长亭晚骤雨初歇都门帐饮无绪留恋处兰舟催发执手相看泪眼竟无语凝噎念去去千里烟波暮霭沉沉楚天阔多情自古伤离别更那堪冷落清秋节今宵酒醒何处杨柳岸晓风残月此去经年应是良辰好景虚设便纵有千种风情更与何人说

田英章写字于北京

第十五课 其他连写符号

2字符

行笔轻盈

与数字"2"比较贴近，所以叫"2字符"。2字符主要有扁2字符、窄2字符、提2字符。

3字符

减省笔画可用此法

这一连写在行书中和数字"3"的运笔写法基本一致，所以称之为"3字符"。

曲折符

折笔而成

快写短斜撇，顺势向右写横撇。一笔写成，常用于撇横、竖横连写。

羽

横折钩左短右长
左边内部类似数字"2"
右边内部类似数字"3"

月

整体瘦长
竖撇笔末回锋
竖钩与横画连写
两横连起来像数字"3"

免

字头宜小，起笔稍重
撇画不出锋
竖弯钩往外伸展

色

中间略扁
转折要圆润
出钩向上

·举一反三·

水 永 期 具 象 尔

第三十二课 句字框 画字框 国字框

句字框

内包部分略偏左

撇短竖斜，钩画锋利，字框大小随内部笔画的多少灵活变化，被包围部分一般左实。

画字框

转折方正 框内部分宜高

这个框的形态要上开下合，字框的大小要视框内笔画多少而定，被包围部分要高出字框。

国字框

不封口 整体呈长方形 竖稍长，出钩

上下横画平行，左右竖画挺直，竖钩稍比左竖长。字框整体呈长方形，不封口以免滞闷。

勹	勹	勹		凵	凵	凵		冂	冂	冂	
勹	勹	勹		凵	凵	凵		冂	冂	冂	

丿 勹 匀

匀

撇画较直，不出锋
折钩挺立，略向内收
点画由轻到重，居中线

匀	匀	匀	匀		匀	匀	
匀	匀	匀	匀		匀	匀	

一 丆 万 币 亩 画 画

画

左右对称
田两竖内收，横竖均匀
字框竖画要短，横画要长，末笔下压

画	画	画	画		画	画	
画	画	画	画		画	画	

丨 冂 冂 国 国 国

国

横比竖短，略扛肩
两竖平行，左短右长
上下不封口

国	国	国	国		国	国	
国	国	国	国		国	国	

丨 冂 冂 冃 内 因

因

横比竖短，略扛肩
两竖垂直，左短右长
上下不封口

因	因	因	因		因	因	
因	因	因	因		因	因	

·举一反三·

匈	匈	匈		凶	凶	凶		困	困	困	
旬	旬	旬		出	出	出		图	图	图	

第十六课 两点水 三点水 木字旁

两点水

相互呼应 笔断意连 两笔距离勿远

首点下俯启带下点，形断意连，下点为仰点启带下笔。两笔距离勿远，呼应牵连。

三点水

呼应牵连 上点不宜太高

整个偏旁不要写得太高、太宽，注意三点的排列角度，一般呈扇形排列，下点有启带下笔之意。

木字旁

左伸让右 形宜窄

木字旁的撇点改作撇提，以启右部。竖画与横的交接部位要靠右才好看。

冫	冫	冫		氵	氵	氵		木	木	木	
冫	冫	冫		氵	氵	氵		木	木	木	

冷

左部两笔相互呼应

撇捺舒展，交于竖中线

右部上下对正

冷	冷	冷	冷		冷	冷	
冷	冷	冷	冷		冷	冷	

清

上点不宜太高

三横间距相等

中横稍短

清	清	清	清		清	清	
清	清	清	清		清	清	

浅

三点水呈弧形排列

斜钩要长

撇画要短

浅	浅	浅	浅		浅	浅	
浅	浅	浅	浅		浅	浅	

格

撇点变为撇提

上斜下正

口部连写，可不封口

格	格	格	格		格	格	
格	格	格	格		格	格	

·举一反三·

冰	冰	冰		温	温	温		树	树	树	
凉	凉	凉		渐	渐	渐		秒	秒	秒	

第三十一课 走之底 走字底 建字底

走之底

左斜　被包部分高于字底

起笔左倾，点画之后，横折折撇与平捺连写，平捺稍长，一波三折。注意被包围部分与字底的距离。

走字底

简化草写　被包部分矮于字底　捺长以托上

走字底下面的短竖、横、撇简写为草书两点，平捺可以拉长，但上边的部件应向左靠。

建字底

被包部分略高于字底　平捺伸展托上

平捺要写得舒展，托住被包部分。被包部分要写小些。

边

力部小巧，撇画不出锋
点横分离，横折短小
捺画下压，一波三折

超

偏旁简化连写，竖画出头较多
笔画右齐，紧凑
捺长以托上，舒展

越

偏旁简化草写，竖画出头较多
内部略小，斜钩略长
平捺伸展，一波三折

延

注意笔顺，被包部分上靠
横折短小，撇中有弯
捺画要长，不可太陡或太平

·举一反三·

还 近 趁 起 建 廷

作品二 《清平乐》

中堂

这类作品大多挂于厅堂正中。中堂一般竖向布局，长大于宽，略呈长方形，偶有正方形或横式布局。钢笔中堂书法作品受成品大小及笔触粗细的限制。

红笺小字说尽平生意鸿雁在云
鱼在水惆怅此情难寄斜阳独倚
西楼遥山恰对帘钩人面不知何
处绿波依旧东流

田英章

齐头，首行不空格

行距合宜，字距紧凑
此作品竖成行，横成列

第三十课 厂字头 病字头 虎字头

第十七课 单人旁 双人旁 绞丝旁

单人旁

竖提锋启右 常牵连右部

短撇回锋，竖笔必须用垂露竖，并稍有回锋，以启带右部笔画。

双人旁

指向不一 竖从第二撇中间起笔 垂露竖

两撇连写，首撇短，第二撇长，竖笔必须用垂露竖，宜短，注意两撇的位置。

绞丝旁

三笔连写 末笔启右 中正

绞丝旁是两个撇折和横连写，上大下小，上下重心在一条线上，末笔提出锋启右部。

亻	亻	亻		彳	彳	彳		纟	纟	纟	
亻	亻	亻		彳	彳	彳		纟	纟	纟	

住：短撇回锋；点竖直对；中横最短

住	住	住	住		住	住	
住	住	住	住		住	住	

行：两撇指向不一；两横斜行；左高右低

行	行	行	行		行	行	
行	行	行	行		行	行	

纟红

红：撇折指向不一；左部末笔提画启右；工部末横略长

红	红	红	红		红	红	
红	红	红	红		红	红	

线：斜钩要长，出头较多；撇画要短，交于斜钩中下部

线	线	线	线		线	线	
线	线	线	线		线	线	

·举一反三·

代	代	代		往	往	往		约	约	约	
你	你	你		律	律	律		绝	绝	绝	

云课堂

扫码看书写示范

第二十九课　皿字底　木字底　女字底

皿字底

皿 两竖内收 横画舒展托上

“皿”上小下大，中间两短竖可连写，底横忌短，稍长以托上。

木字底

木 横画长短因字而定 撇捺变点

木字底的竖画不能出头太多，要为上部让出空间。横画要长，以托上部。

女字底

女 横长托上 撇脚、捺脚平稳

女部作字底时，整体应该写得扁阔，撇脚和捺脚要站稳。横画一定要长，以承托上部。

盐

上部左右靠紧
四竖内收，间距相等
底横最长，舒展托上

盏

上斜下正，斜钩靠近下部
四竖内收，间距相等
末横舒展托上

朵

上部紧凑，尾部回带
横画最长，左低右高
两点相对，均不连竖

安

首点居中，横钩要短
撇画上伸，代替点画
横画要长，取斜势

·举一反三·

盖 盆 果 架 妄 要

第十八课 土字旁 王字旁 石字旁

土字旁

竖提连写启右

末横要变提启右，注意与右部的穿插。稍微向右上倾斜，扛肩才好看。

王字旁

注意此部的笔法

末横变提启右

先写上横回带写竖，再连写“2”字符，出尖启右。

石字旁

形小

横撇连写

居左上部

横撇连写，横笔勿长，撇回锋写口。作左偏旁时取斜势，在字中居左上部。

垃

左低右高
竖提连写启右
注意连写方式

珠

左收右放
竖钩挺直伸展
注意笔画牵丝

玲

末横变提启右
撇捺舒展
注意牵丝

碰

横撇连写，尾部回带
注意右边的连写方式
左右靠紧

·举一反三·

地 玩 砸
培 玫 碎

第二十八课 草字头 雨字头 竹字头

草字头

整体小巧 启带下部

一般先写横后写短竖、短撇，上开下合。居字头，一般不宜太大。写法多样。

雨字头

四点变化

首横短，横钩稍长，左右四点连写，笔画紧凑，呈覆下之势。

竹字头

整体忌宽 行笔自然 牵丝萦带

整个偏旁笔画左右相连简写，应该左低右高，左收右放，末点启下。

花

上部小巧，启带下部
第一撇伸展
竖弯钩往右伸展，转角圆润

雪

竖画平分横钩
注意四点变化
三横间距相等

笑

上部左右连写，注意牵丝轻盈
横画左伸，不宜太长
撇捺舒展，撇比捺短

竿

上部左低右高，注意牵丝轻盈
横画左低右高，取斜势
末竖用悬针竖

·举一反三·

蓝 茉 露 零 等 简

第十九课 足字旁 金字旁 月字旁

足字旁

整体忌宽　"止"草写　末提启右

口不宜大，口下两竖用草写两点代替，最后一笔为提画。

金字旁

撇可略带回锋　下部连写启右

先写撇，横画要有长短，各具形态变化，横和竖提可连写，竖提启右。

月字旁

形窄　撇回锋　末笔启右

起笔竖撇可回锋，横折钩要直挺，内两横可连写。在左应窄，在右宜宽。

跳

左右靠紧
足字旁牵丝勿重
竖弯钩伸展

跑

注意偏旁的连写方式
左部末提启右
竖弯钩转折圆润

钱

起笔撇画稍长
斜钩要长，略带弧度
牵丝轻盈

胖

整体修长
横折不出钩
悬针竖宜长

·举一反三·

路 跟 铁 错 朋 脸

第二十七课　山字头　西字头　羊字头

山字头

牵丝连带　意连下笔　短竖改撇

三竖间距基本相等。竖折变竖提，行笔要牵意、流利。整体稍小，在字中居上部位置。

西字头

横短，意连下笔　整体宽扁

起笔为短横，意连下笔，横长竖短，整体宽扁。

羊字头

等距

作为字头时，羊字可不出头，注意连写的笔画顺序。

山	山	山		西	西	西		𦍌	𦍌	𦍌	
山	山	山		西	西	西		𦍌	𦍌	𦍌	

岩

竖间等距，右竖改撇
横撇左伸，横比撇短
口部右展，不封口

岩	岩	岩	岩		岩	岩	
岩	岩	岩	岩		岩	岩	

栗

首横略短，意连下笔
两竖内收，多竖均匀
长横左伸，两点下压
竖钩位置偏右

栗	栗	栗	栗		栗	栗	
栗	栗	栗	栗		栗	栗	

羔

三横等距，首横最长
四点等距，可断可连
四点宜宽，以托上部

羔	羔	羔	羔		羔	羔	
羔	羔	羔	羔		羔	羔	

姜

三横长度、间距相等
撇和反捺牵丝要细
捺画下压
注意笔顺

姜	姜	姜	姜		姜	姜	
姜	姜	姜	姜		姜	姜	

·举一反三·

岁	岁	岁		要	要	要		羡	羡	羡	
岂	岂	岂		贾	贾	贾		善	善	善	

第二十课 竖心旁 提手旁 衣字旁

竖心旁

注意笔顺 竖笔常牵丝启右

先写两点，两点左低右高，后写中间一竖。竖作垂露稍向右凸，末端回锋牵连右部。

提手旁

整体宜窄 竖钩直挺 钩提可连写

先写短横，竖钩直挺，竖钩和提可一笔连写，提出锋启右。整体宜窄长，忌宽。

衣字旁

注意笔顺 两点化减

首点高扬，横笔左伸，竖笔要短，撇、点改作撇提，整体斜而不倒。在行书中与示字旁的写法相同。

忄	忄	忄		扌	扌	扌		衤	衤	衤	
忄	忄	忄		扌	扌	扌		衤	衤	衤	

忙

左部左点低右点高，竖画回锋启右
亡字较扁，末横较短

忙	忙	忙	忙		忙	忙	
忙	忙	忙	忙		忙	忙	

打

提手旁横画左伸右缩，竖钩挺直有力，钩提可连写

打	打	打	打		打	打	
打	打	打	打		打	打	

衬

点竖对齐
短横接竖，竖连撇提
竖钩宜正
笔末上提连点

衬	衬	衬	衬		衬	衬	
衬	衬	衬	衬		衬	衬	

衫

首点高扬，点竖对齐
短横接竖，竖连撇提
三撇连写，末撇舒展

衫	衫	衫	衫		衫	衫	
衫	衫	衫	衫		衫	衫	

·举一反三·

情	情	情		捎	捎	捎		初	初	初	
懂	懂	懂		抽	抽	抽		裤	裤	裤	

第二十六课 人字头 爪字头 父字头

人字头

撇捺伸展

下包部分尽量上靠

上收下展，撇捺一定要写得舒展大方，盖住下部。下部紧凑靠上，迎合上方。

爪字头

首撇短平

作字头时，不宜大，三点相呼应。注意与下方的避让穿插。

父字头

舒展 舒展 上靠

父字头有时也可将捺画写成反捺。

人	人	人	
人	人	人	

爫	爫	爫	
爫	爫	爫	

父	父	父	
父	父	父	

丿 人 会 会

会：撇捺盖下，撇比捺低，夹角略大，云字往上靠，交点对正，末点下压

会	会	会	会		会	会	
会	会	会	会		会	会	

丿 人 介

介：撇捺舒展，盖下，撇低捺高，注意夹角，两竖可连可不连，但牵丝要细

介	介	介	介		介	介	
介	介	介	介		介	介	

爱（笔顺）

爱：首撇短平，字头不宜大，末笔可写成正捺，也可写成反捺

爱	爱	爱	爱		爱	爱	
爱	爱	爱	爱		爱	爱	

丶 丷 ㇒ 父 斧

斧：左点低右点高，撇捺舒展，夹角略大，斤部一笔连写

斧	斧	斧	斧		斧	斧	
斧	斧	斧	斧		斧	斧	

·举一反三·

令	令	令	
众	众	众	

采	采	采	
妥	妥	妥	

爸	爸	爸	
爷	爷	爷	

第二十一课 虫字旁 车字旁 歹字旁

虫字旁

启带右部
左斜右正

"立"字和"虫"字作左偏旁时，末横都变提启右。"虫"的竖画可以与提画一笔写成。

车字旁

上下连写
竖画附钩启右

先写短横，然后上启带出撇折。作偏旁时竖笔忌用悬针，整体一笔写成。

歹字旁

形窄
忌高过右部

两个横撇连写，上横撇短小，回锋连写下横撇，撇锋回收写点。

蛀：宽度一样，底部齐平；口部扁平，上宽下窄；点竖正对，横间等距

轼：左边瘦长，右边伸展；横画斜齐；车部末横变提画；中宫收紧

轧：车部左放右收；竖弯钩居右中，向上出钩

歼：左边窄斜，两横撇连写；横画不能太长；悬针竖居中，往下伸展

·举一反三·

蚊 蝉 轮 软 殊 列

第二十五课 宝盖头 穴宝盖 秃宝盖

宝盖头

首点居中　宽窄视下部而定

秃宝盖的宽窄因字而异，横笔右上斜，出钩有力，钩身不宜太长。

穴宝盖

左低右稍高　启下

点画居中，居字头，下面两点要匀称，不可过近，也不可过远，竖弯快写有启下之意。

秃宝盖

点垂向下　注意钩向

点画向下，横钩稍长，居字头，下宽者宜窄，下窄者宜宽。

宙

首点高扬，宝盖盖下
点竖正对，两竖内收
由部注意笔顺

穴

首点高扬，平分横画
横钩宜小，出钩有力
宝盖盖下
两点相对，下部平齐

突

横钩略带弧度，出钩有力
两点左低右高，启下
重心对正，下部平齐

写

横钩略带弧度，出钩有力
横画平行，间距相等
末横左伸

·举一反三·

宴 宵 空 穹 军 冤

第二十二课 反犬旁 弓字旁 马字旁

反犬旁

两撇指向不一；弯钩变化

先写短撇，环绕连写弯钩，弯钩上曲下直，然后写下撇，下撇常有回带，启右势。

弓字旁

横画间距相等；整体窄长

三个折笔连写，上横折稍大，中横折要小，下横折略长并呈启右之势。作偏旁时忌宽。

马字旁

形窄长；末横变提

上横折连写竖折折钩，末横变挑，挑锋启右。作偏旁时宜窄。

狼

弯钩上弧稍大，直中带弯
两撇指向不一
横画间距相等，左连右断
竖提挺直，反捺伸展

张

左边上大下小，重心在一条直线上
右边整体窄长，反捺下压

弘

左边上大下小
右边注意粗细变化
点画下压

驴

左边瘦长，注意连写
右部横折横连写
竖撇伸展

·举一反三·

猫 猎 强 弹 驶 骑

作品三 《相思》《小重山》

扇面

扇面书法作品分折扇、团扇两种。折扇上大下小呈辐射状；团扇为圆形或椭圆形。

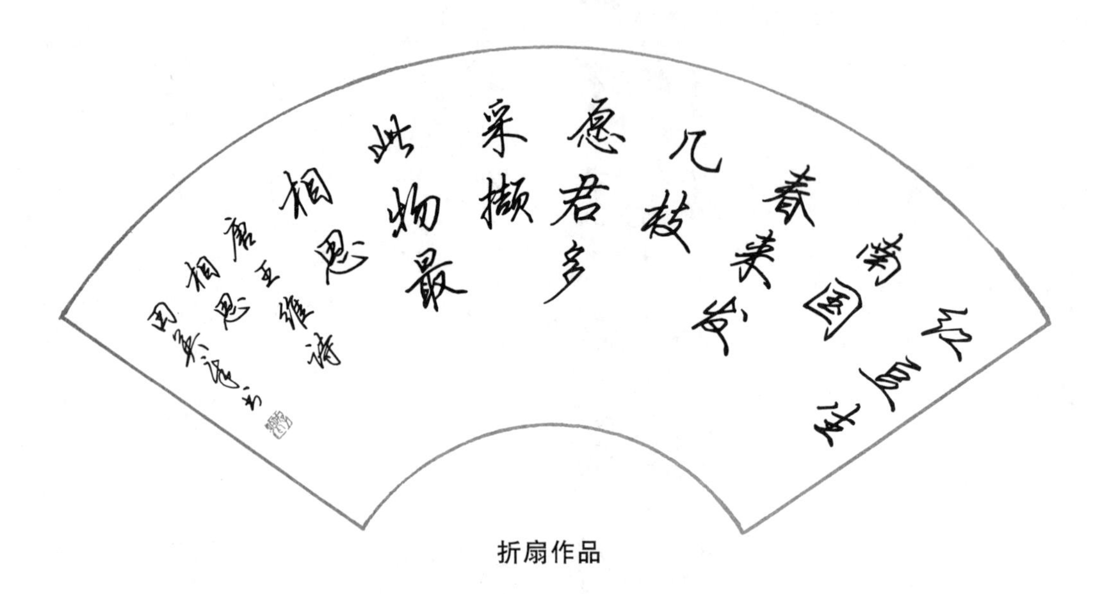

折扇作品

往事莫
沉吟身闲时序
好且登临旧游无
处不堪寻无寻处
惟有少年心
田英章书

团扇作品

第二十三课 单耳刀 左耳刀 右耳刀

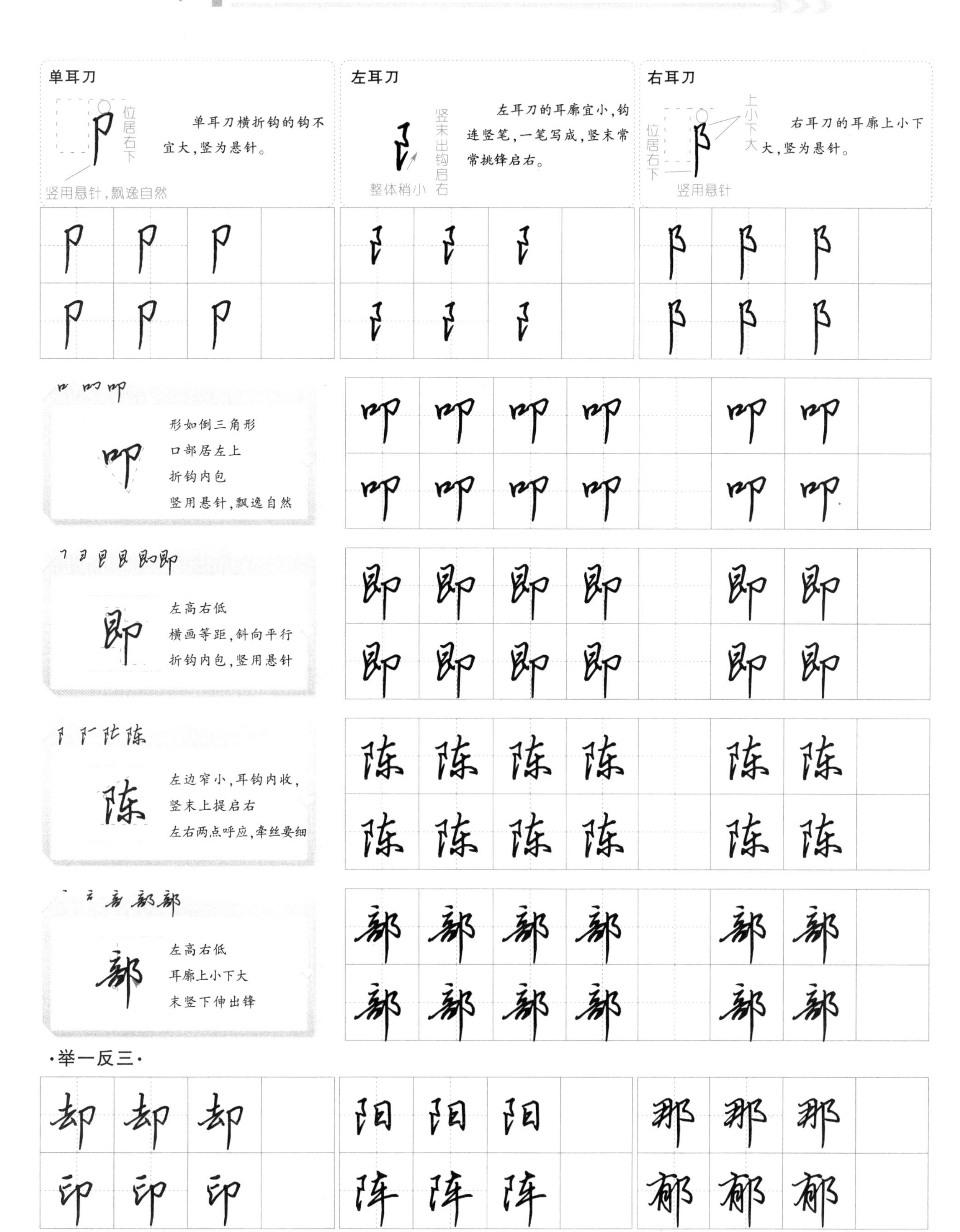

云课堂
扫码看书写示范

第二十四课 立刀旁 三撇儿 反文旁

立刀旁

可一笔连写；点睛之笔；着重训练

短竖与竖钩连写，竖钩可以简写成长竖。短竖回锋启带长竖，长竖可左上勾出，亦可用悬针。

三撇儿

一笔写成；稍居右下；舒展大方

三撇连写，上两撇较短，第三撇较长，三撇指向不一，一笔写成，间距相等。

反文旁

撇收捺放；注意起笔位置；撇捺；注意与左部配合揖让

反文旁的撇横连写，第二撇起笔要位于横画起笔稍左处。

到

首横最短，撇折盖下
末横笔画牵带右部
悬针竖向下伸展

利

起笔不宜长，横画左伸
撇捺减省
短竖回锋启带悬针竖

彩

横画左伸，撇捺减省
三撇连写，间距相等
第三撇最长，略带弧度，左下出锋

教

左边横画左伸，撇画斜直
右边撇收捺放，注意空间
中宫收紧，左右配合揖让

·举一反三·

利 剐 彬 影 政 故